当代中国人物画坛 10 名家

DANGDAI ZHONGGUO RENWU
HUATAN SHI MINGJIA
ZHANG LIZHU ZUOPIN

北京工艺美术出版社

主编 贾德江

张立柱 艺术简历

1956年生，陕西武功人。现为中国美术家协会会员，陕西国画院院长、一级美术师，陕西省文联委员，西安交通大学兼职教授，西安美术学院客座教授。

1978年入西安美术学院国画系读本科及研究生，1984年毕业留系任教，1991年调入陕西国画院从事专业创作。

作品十余幅参加国家文化部、中国美协主办的全国性美展，数十幅作品参加国际国内其他重要学术展览。其中《丝路风情》（合作长卷）获第七届全国美展金奖，并被特邀到北京中国画研究院及法国、美国展出。《老堡子》入选"百年中国画展"，《春梦》获加拿大多伦多国际中国画展银奖，《长安纺织》获全国丝路美展银奖。作品入选蒙特卡罗国际现代艺术大展，第二届全国中国画展，第一届、第二届、第三届全国画院优秀作品展，《农民·农民》中国美术馆藏品暨特邀作品展，陕西当代中国画展·风格探索展等，并入选陕西当代国画优秀作品晋京展（全国政协举办十人作品展）。先后获省级美展特等奖和一、二、三等奖十余次。作品入选《中国现代美术全集》中国画卷与壁画卷和《百年中国画集》。多幅作品被中国美术馆、浙江美术馆、陕西美术博物馆等学术团体及个人收藏。

目　录

地缘·血脉·泥言·土语

——有感于张立柱的家园系列

◆ 贾方舟

张立柱一再声称自己是"从泥地里挤进城","感悟了大跨度的人生差距",却至今不能排除对城市的异己感，不能消解作为一个农家子弟的乡间情怀。张立柱这种魂牵梦绕的乡土情结使他在心理上对都市这样的生存方式和文化环境，有一种天然的不适应的"断裂感"，但也正是这种"大跨度的人生差距"成为他思考和构建自己艺术的起点。

张立柱心中这种挥之不去的乡间情怀和乡土情结，使他与都市化的生存方式以及由此而延伸出的流行文化有一种本能的排拒与对抗。当他在艺术上还没有自觉进入精神层面上的自我探寻以前，他的艺术还处在流行的官方话语的阶段。虽然这一阶段他在艺术上成绩显赫（在20世纪80年代中后期，初出茅庐的张立柱就连连获奖），但这些作品还未能触及到他作为一个画家个体的精神内质。他真正艺术上的独立思索是在20世纪90年代以后，是在他自觉意识到必须把他的画笔回转到真正能触动他内心的隐痛与精神的自救上来。

20世纪90年代以后，张立柱彻底从学院的流行话语中解脱出来，实现了在艺术上的自我选择，走上一条符合自己意愿的特立独行的路。对他而言，这无疑是一条"艰难"的路，因为前人不曾这样做过，在同时代的画家中也找不到另例。他想让自己的艺术彻底回归到乡土状态，但又不是那种写实的乡土风情画，而是想让高雅的文人水墨画在他的乡间泥土中摸爬滚打，用他制造的农民式的"泥言土语"取代古代文人的"花言巧语"。其目的就是要在身心分离（身在城市心在田园）的都市生活中获得一种"家园感"，让漂泊的心灵在艺术中得到一种"在家"的感觉。

在西安，像张立柱这样以一种根深蒂固的乡土意识影响自己创作的画家并不少见，张立柱只是其中更加自觉、更具代表性的一位。如同作家中的贾平凹，就始终以"进了城的农民"自居。西安是一个传统文化积淀得太深太厚太重的城市，甚至是一个有着太多的"农村移民"、并被农村紧紧包围着的城市。在这样的文化氛围中，他们没有觉得作为一个"城市人"就有多骄傲（很多城里人正是以"城市人"的身份蔑视着农民），更没有因为"挤进"城里而想隐瞒自己的农民身份，他们坦然面对自己的身份，不怕因为自己曾经身为农民而被人瞧不起。他们公开声言自

◎ 麻明天　2003 年　纸本　68cm × 68cm

◎ 苦韵　2006年　纸本　68cm×68cm

己的农民身份不只是出于一种淳朴的乡土情感，更是出于一种价值观的支撑，因为中国几千年的农耕文明正是建立在这种价值观的基础上。

然而，都市文化的兴起，却是以乡村文化的衰落为前提。张立柱心中强烈的怀旧情绪和归乡意识，正是发生在这样一种生存环境的变迁和转型之中，它使传统的价值观面临空前的挑战。在这种情况下，每一个敏感的艺术家都会在心灵中留下深深的隐痛，而不得不在熙熙攘攘、嘈杂喧嚣的都市空间中痛苦地挣扎。

福柯曾说，在现代都市中生活的人所经历的和感觉的世界，是一个由人工构建的网络空间，在这样一个非人格化的陌生的都市空间里，人们的交往已经丧失了传统社会的地缘与血缘纽带，而按照一种新的规则运行。这种新规则，不再是寻找共同的历史根源感，而是取决于多元复杂的公共空间。这便使多数在观念上无法逃离传统社会的人感到无所适从。因为在农耕文明时代，中国社会是一个以乡村文化为

标志、以时间为脉络的传统社会，传统的血缘、地缘关系是在历史延续中呈现出来的。因此，个人的自我认同是在寻找历史的脉络感中实现的。相比之下，以都市文化为标志的现代社会，则更多地是一个以空间（物质空间和文化空间）为核心的社会，人类从传统社会向现代社会的变迁，实际上就是一个都市化的过程。传统的乡村社会是一个"熟人社会"，而来自不同地域、不同社会背景和文化背景的人所构成的都市社会，却是一个"陌生人的社会"。如原先那样在文化上的自然延续已不存在，必须摆脱自然的血缘、地缘关系，才能进入都市这个陌生的公共空间。也正是这种文化环境的巨大落差迫使着每一个来自农耕时代的人作出选择。对于张立柱而言，要摆脱这种血缘、地缘纽带是痛苦的，曾经的农民身份和原有的生活秩序成为他的一个无法剥离的精神阴影，同时也成为他艺术中首要的精神资源，从而深刻地影响着他的艺术取向。

张立柱清楚地意识到，他在画中力图

表现的是一个已经逝去的时代，一种已经被取代了的生活方式。但这些残存在记忆中的生活碎片却总是招之即来而挥之不去。这也正好为他的艺术表现提供了最为充足的理由。正是那些非画不可的内容，构成张立柱作品的灵魂。张立柱在家园系列中不厌其烦地画他的"男耕女织"图，画那些极为俭朴的乡间生活，是因为只有在这里，他的精神才能找到自己的归宿。

为了表达萦绕在他心中的那些生存记忆，他不得不放弃学院的造型观念和现成的笔墨系统，因为原有的画面格局根本无法表达他的乡间情怀，表达他对泥土的亲和感。他必须找到一种新的、更接近他的情感生活的语言方式，也就是他现在摸索到的那样一种拙拙的、笨笨的、黏黏的、无法和这个特定主题相分离的泥言土语。如干柴乱草般的皴擦，不拘章法的人物分布，打破常规的图式结构，所有这一切，都构成了他特有的一种叙事方式，表达了一个身心分离的"乡间都市人"的特有情怀。

在张立柱的家园系列中，除了那些日常化的生活和劳动场景外，在他画中反复出现的就是那棵根深叶茂的老槐树。它一而再地据守在画面的主体位置，其象征意义是不言自明的。与其说画家是在画一棵树，不如说他是在画历史。这棵阅尽人间悲凉与沧桑的老树就是农耕文明的见证。时代的变迁，社会的沿革，岁月的新旧交替，全在它的视野之中。初生的喜悦，离世的悲痛，它都历历可数。然而，无论是改朝换代，还是社会转型，它都依然如故，真是关中几度秋，"老槐尚茂密"。它就是中华文化的根脉，也是张立柱无法割断的地缘与血脉。

在上千年的农耕文明中，乡村是一个巨大的文化基盘，它产生文化，也保存文化，它是文化精英的最后归宿和精神家园。那时的乡村，其凝聚力远远大于城市，进入城市为官为商为文的人，从不打算切断源于乡村的这条根脉，最后都要归根返本，回到家乡。因为乡村生活是农耕文明时代人的理想的生存方式。但城市的兴起使乡村文化日益贫瘠，乡村愈来愈变成"文化沙漠"，再难滋生文化精英也留不住文化精英。今天的乡村，再也呼唤不回农耕文明时代的辉煌。也许，这也正是张立柱在他对已逝文明的缅怀中处处流露出的、无法掩饰的悲情。

◎ 槐乡人之一　2006年　纸本　175cm × 135cm

◎ 槐乡人之二　2006年　纸本　175cm × 135cm

◎ 槐乡人之三　2006 年　纸本　175cm × 135cm

◎ 槐乡人之四　2006年　纸本　175cm × 135cm

◎ 槐乡人之五

2006年　纸本　136cm × 68cm

◎ 槐乡人之六
2006年 纸本 136cm × 68cm

◎ 槐乡人之七

2006年　纸本　136cm × 68cm

◎ 槐乡人之八
2006 年　纸本　136cm × 68cm

◎ 槐乡人之九
2006年　纸本　136cm × 68cm

◎ 槐乡人之十
2006年 纸本 136cm × 68cm

◎ 槐乡人之十一
2006年　纸本　136cm × 68cm

◎ 槐乡人之十二
2006 年　纸本　136cm × 68cm

◎ 槐乡人之十三
2006年 纸本 136cm × 68cm

◎ 槐乡人之十四

2006年 纸本 136cm × 68cm

◎ 槐乡人之十五

2006年　纸本　136cm × 68cm

◎ 槐乡人之十六
2006 年 纸本 136cm × 68cm

◎ 槐乡人之十七

2006年　纸本　136cm × 68cm

◎ 老堡子　1996年　纸本　178cm × 192cm

好画难得

◆ 张立柱

　　怎样的画才算是一幅好画，尽管可以仁者见仁、智者见智，但在见仁见智时，那种最基本的认知标准还是应有的，此其一。其二是时代发展变化，人的审美追求也在不断变化，但不管是多大的发展变化，那种对一幅作品好与不好的评判仍有一个最恒稳的认知基础。

　　对于中国画而言，我以为品评的最基本的认知基础还是应以中国文化精神做底基。它不单在于工具材料与手法，最主要的在于作者的文化底气是否是中国味。那么，作者与评者都得以中国文化作为对话的平台则是自然之理。有了此对话平台，再说其作品是否是好的中国画。

　　古人对品评画作提出逸、神、妙、能四格，我认为仍可为今天品评的基本准则，只是其内涵要随着时代发展择取、充实、扩容。逸格是最高的，但不应该是将某种惯性的多从逸笔草草的作画行为状态与狭窄气度偏好的作品透露的飘逸荒率之感作为评审的着眼点，而应是先以唐朱景玄提出的"在神妙之外，又不拘常法，当入逸品"为基础，汲宋人黄休复"得之自然，莫可楷模"之精言，并充实进"众里寻她千百度,蓦然回首,那人却在灯火阑珊处"的读万卷书、行万里路后的长期积累偶然得之,有一种熟后生之感,一种绚烂之极归于平淡的率真、自然、高迈之感受。还需强调艺术感知力的妙悟,就有了化腐朽为神奇、点石成金之能力。

这种充实与强调,我认为表明了中国绘画是一门需苦修、苦练的严肃事业,同时强调了艺术事业的独特性,也并非仅靠勤劳就能弄成的。这样就可以既认同人人依天性或可成为艺术家,但仅凭天性之作难为大品正果,更别说好多本就是无感觉的涂抹,不可妄抬,更昭示人们对只要学得一招一技勤奋重复制作下去就成了大画家的恶劣时风的误导的辨别。

自然,仅以上所谈还不足成为今天让人认可的好中国画,毋庸讳言,中国画(准确言是留存的纸绢之作)自古至今虽随着时代变化演进不止,但毕竟继承大于开拓,而且雷同感颇强,情感表现不足,原创性弱,视觉冲击力欠缺。应外引内联,借鉴西方现代艺术视觉冲击力强、当下切入感强、原创力足等优点和中国其他传统文化如民间艺术、建筑艺术、皇陵设计与宗教文化的综合氛围那种古朴率真、大气磅礴、中正不斜的精神气度,并承继在此气象上先贤李唐、范宽等之遗韵,是以革除弱靡小气做作之弊端,成中华文化大气象之逸。

另外,好的中国画应有一种意味在其中,此味是形成你作有别于他作的很重要的东西,是你对生活的独特感悟与个人精神的综合体,应体现出一种正味、大味,而非劣味、怪味、小酸腐味。

有精气神,有原创性,情真意

◎ 冷冬
2006年　纸本　136cm × 68cm

◎ 庄户一家人　2000年　纸本　123cm × 246cm

切者当是有味之作、正味之作。

　　再说就是语言层面,还是要讲究笔与墨。笔墨是中华文化的独特载体,虽然笔墨可独立提出品评审正,但更重要的是笔墨在此基础上就成了要表达的精神的天然混成物。笔墨就是精神,精神就体现在笔墨中,让你通幅未识笔墨,只悟得画中透出的一股感人的精神气息,一种浓醇真挚的情感。但无此高手之笔墨,其精神其情感也难以确切表露。

　　具备了以上者,我认为就是今天的好中国画。

依上述看法，今人之作实不敢夸赞有几多上乘之品，真能让人称道的还需前推，似乎仍是齐白石、黄宾虹、傅抱石、赵望云等人之作。他们的画虽非幅幅皆精，但确多好画。这些画气和骨刚，情真味正，有文化品位，有学养，有超脱精妙之逸气，有精诚之至的真；充实而有光辉，能见出天性背后的深厚学识，粗率背后的万般匠心，惨淡经营获得的自然高妙，平实大朴背后的高古气象，苦心探索后的大悟大醒；既含文化传统，又充满新意，使人一见即喜，又百读不厌，百读百新。

◎ 融融春气满故乡
2001 年　纸本　180cm × 96cm

◎ 暮归图

2005 年　纸本　136cm × 68cm

◎ 秋罢人未歇　2006 年　纸本　68cm × 136cm

◎ 昨夜白雨落故乡　2006 年　纸本　68cm × 136cm

◎ 坡底小户
2003 年 纸本 160cm × 85cm

◎ **暑日悠悠天** 2005 年 纸本 190cm × 190cm

◎ 老北塬上庄户人

2003 年　纸本

136cm × 68cm

◎ 独庄
2005 年　纸本　136cm × 68cm

◎ 至亲无言　2005 年　纸本　68cm × 136cm

◎ 家园秋至　2006 年　纸本　68cm × 136cm

◎ 囤土山　1995 年　绢本　188cm × 438cm

◎梦里故乡还依旧
2005年　纸本　136cm × 68cm

◎ 乡梦悠悠　2006年　纸本　85cm × 85cm

◎ 望春
2000年　纸本　96cm × 89cm

◎ 童年散记
2000年　纸本　85cm × 85cm

◎ 乡亲们　2001年　纸本　219cm × 192cm

◎ **惊蛰** 1996 年　纸本　123cm × 123cm

◎ 槐下嗡嗡纺车声

2005年　纸本　136cm × 68cm

◎ 妗婆家　2003 年　纸本　96cm × 86cm

◎ 黄风　1998 年　纸本　123cm × 246cm

◎ 离乡岁月　2005 年　纸本　123cm × 246cm

◎ 荒宅行

2005 年　纸本　136cm × 68cm

◎ 汉时明月　1995 年　纸本　120cm × 96cm

◎ 携篮行　2007年　纸本　68cm × 136cm

◎ 百姓日子　2005年　纸本　68cm × 136cm

◎ 承包曼哈顿之一　2004 年　纸本　170cm × 120cm

◎ 承包曼哈顿之二　2004 年　纸本　170cm × 120cm

◎ 承包曼哈顿之三　2004 年　纸本　170cm × 120cm

◎ 纱梦　1996年　布本　167cm × 300cm

◎ **千年土** 1996年 纸本 177cm × 386cm

◎ **金沙滩** 1995年　绢本·丙烯　130cm × 130cm

◎ **秦汉** 1994 年 绢本 · 丙烯 150cm × 160cm

◎ 红山
1997年 纸本 136cm × 68cm

◎ 无语 2006年 纸本 80cm × 100cm

◎ 三娘 1995年 绢本 185cm × 250cm

◎ 远家　1996 年　布本　167cm × 300cm

◎ 父子 1993 年 纸本 89cm × 96cm

◎ **母女** 1993 年 纸本 96cm × 89cm

图书在版编目（CIP）数据

当代中国人物画坛10名家.张立柱作品／贾德江主
编.－北京:北京工艺美术出版社，2007.12

ISBN 978-7-80526-661-9

Ⅰ.当... Ⅱ.贾... Ⅲ.中国画:人物画－作品集－
中国－现代 Ⅳ.J222.7

中国版本图书馆CIP数据核字（2007）第181152号

责任编辑：陈朝华
　　　　　黄秉洲
责任印刷：宋朝晖
装帧设计：汉唐艺林

当代中国人物画坛10名家·张立柱品

出版发行	北京工艺美术出版社
地　　址	北京市东城区和平里七区16号
邮　　编	100013
电　　话	（010）84255105（总编室）
	（010）64283627（编辑部）
	（010）64283671（发行部）
传　　真	（010）64280045/84255105
经　　销	全国新华书店
制　　作	北京汉唐艺林文化发展有限公司
印　　刷	北京博海升彩色印刷有限公司
开　　本	635×965　1/8
印　　张	8
版　　次	2007年12月第1版
印　　次	2007年12月第1次印刷
印　　数	1～3000
书　　号	ISBN 978-7-80526-661-9/J·578
定　　价	48.00元